# 지친 자의 길은 멀다

사십편시선
032 전 인 시집

# 지친 자의 길은 멀다

2020년 5월 25일 제1판 제1쇄 발행

지은이 전 인
펴낸이 강봉구

펴낸곳 작은숲출판사
등록번호 제406-2013-000081호
주소 10880 경기도 파주시 신촌로 21-30(신촌동)
전화 070-4067-8560
팩스 0505-499-8560
홈페이지 http://cafe.daum.net/littlef2010
이메일 littlef2010@daum.net



ISBN 979-11-6035-091-3 03810
값은 뒤표지에 있습니다.


※이 시에 나온 토박이말 뜻 풀이는 『사전에 없는 토박이말 2400』(최기호)를 참조했습니다.

# 지친 자의 길은 멀다

전인 시집

## | 시인의 말 |

젊어 한때
문학에 모든 것을 걸었던 시절이 있었다.
야만과 짐승의 시대에
세상을 바꿔보려 살았던 시절도 있었다.
이어 두 번의 해직
그리고 세월이 갔다.
그새 머리가 허옇게 세었다.

문득 내 삶을 정리하고 싶었다.
이 시들은 까마득한 젊은 날 쓴 것에다
나이 들어 쓴 것들을 보탰다.
길을 찾아 끼웃거린 평생의 흔적이다.

이제는 걸망 하나 메고
모든 의무의 짐 내려놓고
떠돌아다니고 싶다.
그러다 어느 따뜻한 봄날
조는 듯이 가고 싶다.

2020년 늦은 봄 계룡산 자락에서
전 인

| 차례 |

## 제2부

## 제3부

# 제1부

## 평생

그릇을 닦았다

바닥을 닦았다

변기를 닦았다

한 생生을 닦았다

## 지친 자의 길은 멀다

산다는 게
허공에 점 하나 찍는 것인데
저녁이 어둑한 들길 걸어오면
외상 장부에 작대기 하나 긋듯
연필에 침 묻혀 점 하나 찍으며
나는 나에게 묻는다
오늘 하루 밥값은 했는가
이번 생애 진 빚 어느 정도 갚았는가
그러다 점도 찍기 힘든 날은
좀 봐달라고, 빈손이라고
저녁에게 안겨 사정하고 싶다.

# 어깨

단지, 들어만 주는 것이
그렇게도 어려웠을까
토 달지 않고 얘기 그냥 들어주는 것이
정말 그렇게도 어려웠을까
아내 말에 나는 언제나
따지고 결론 내리며 내 말을 했다.
말없이 기댈 어깨가 되지 못했다.

저녁이 슬며시 어깨를 내주는
해질 무렵.

# 아내

배시시 웃고 있으나
속살엔 슬픔이 찰랑찰랑한 사람

세상의 각진 모서리에 부딪쳐
퍼렇게 멍든 슬픔 더러 넘쳐서
흐느낌과 비명 되어
새벽녘 꿈길로 되돌아오는 사람

손바닥으로 쓰다듬어보면
그래도 모서리가 많이 닳았다.

## 밥

밥은 길이다
밥을 같이 먹으면서
그 사람에게 가는
길이 생겨났다
그 길 가다보면 때로
버스 정류장도 있어
거기 낡은 나무의자에 앉아
오지 않는 사람을 기다리며
슬픔으로 슴배인 나무가
몇 그늘이다

이제까지
사람들과 같이 먹었던
밥은 몇 끼였는가
그 밥 이제
몇 끼나 남았는가

* 슴배인 : 스미어 배인. 스며들어 젖은.

# 저녁 햇살

떨어진 감꽃

밟으며,

우리 막내처럼

늦었다고 오종종종

뛰어가는 햇살

# 늦사과꽃

작은사과 따다보니
옆 사과나무에 하얀 사과꽃 폈다.
그걸 보며 잠시 어이가 없어
뭔 해찰하다 이제사 피우는가
하다가, 아니다 아니다
뒤늦게 꽃 피우느라고 참 애썼다.
그러고 뒤돌아 생각하니
이적까지 살면서
언제 한번 나는 자식들에게
괜찮다 다 괜찮다 한 적 있었던가
키우면서 때로 맘에 안 드는 행동
말없이 따스하게 안아준 적 있었던가
뒤늦게 핀 사과꽃 보며
처음으로 나를 찬찬히 보았다.

# 냉장고 문 앞에서 길을 잃다

한평생 길을 찾아다니다가

예순 다섯 어느 날

문득,

냉장고 문 앞에서 길을 잃었다.

내가 무엇 하러 여기에 왔지?

찾는 것이 반찬인가 채소인가

아니면 무엇이지?

그 길은, 전교조 창립 당시 장학사 강요에 의해 탈퇴각서 받으러 먼 길 허위허위 달려오셔서 차마 그 얘기 할 수 없어 손녀 머리만 쓰다듬고 가신 초등학교 교감 선생님 우리 아버지의 뒷모습일까?

그 길은, 교육사회운동에 바빠 매일 밤늦게 들어오는 엄마 아빠 때문에 집 앞 가게에서 물건을 훔쳐서라도 엄마 아빠 관심을 끌려고 했던 초등학생 우리 딸의 훗날 고백일까?

불과 몇 걸음 사이에

디딘 땅이 푸욱 꺼진 것처럼 아득해져서
길을 잃고 잠시 생각해봤다.
예순 다섯 어느 날

# 눈물

먼 길 온 자식 만나면
어머니는 눈물부터 흘리신다.
이런저런 얘기 끝에
우리가 도시 변두리 나와서 살 때
그때는 돈이 없어,
제대로 못 먹인 얘기 나오면
또 눈물 흘리신다.
저도 살기 힘든 날도 있었어요 하면
어머니는 다시 눈물 흘리신다.
그 흘린 많은 눈물이 어머니를 씻겨내서
내가 어머니를 안아 병상에 뉘일 때
참 가볍게 만든다.

# 화두話頭

이반 일리치는 자신의 신념에 따라
오십대 중반부터 한쪽 뺨에서
자라기 시작한 혹을 치료하지 않고
살다 갔다고 한다.

일리치 선생님,
당신의 혹 때문에
멱살 잡고 몰아치는 세상
내 삶은 한 박자 느리게
갈 수 있었습니다.

## 벌새

"숲에 불이 나면
모든 동물이 도망간다.
그런데 달아나지 않고
숲을 지키는 동물이 있다.
벌새이다.
이 작은 새는
숲에 불이 나면 개울가에서
그 작은 부리로 물을 머금고 와
불붙은 나무 위에 뿌린다."

케냐의 여성 환경운동가 왕가리 마타이가
2004년 노벨평화상 수상 때 한 연설이라는
어느 신문 칼럼을 읽다가
나는 자꾸 눈물이 났다.
어느 성자님이 벌새의 모습으로 나투셨는가 하고.

* 나투셨는가 : 깨달음이나 믿음을 주기 위해서 사람들에게 나타나셨는가

# 가을 강

저고리 풀고
살 섞어
아들 딸 낳고 살았다.

그 사이 몇 번
짐 보따리 쌌다
다시 풀다가,
이 생生에서
남은 인연의 끈
나비베 마저 잘라주고.

억새가 야윈 손 흔들어주는
뒷산머리 해질 녘
흰 머리칼 풀어
바다로 가는
저 해혼解婚의 강

* 나비베 : 옛날에 저고리 옷섶을 세모꼴로 잘라주는 것으로 이혼의 물증을 삼았다 하는데, 이를 접포(蝶布) 또는 나비베라고 한다.

# 계족산 황톳길

계족산 황톳길
맨발로 걷다가
얼굴부터 풀어져 나는
허허허허 虛虛虛虛
무장해제 되기 시작했네.
바람이 먼저 길을 내는 가을날
주위에 떨어진 밤송이 보고
"가다가 밤가시 조심해요."
앞에 걷는 아내에게 한마디 했더니
내려오던 보살님이 그걸 듣고는
"밤가시는 조심할 게 아니라 주워 버려야지!"
장군죽비 단칼에 내리치신다.
내 앞에 오체투지로 엎드린
황톳길 맨발로 걷다가
내 속 좁음을 이제사 고백한다.
— 내외가 따로 있지 않다네.

바람이 볍어 몇 소절 흘리고 가는
계족산 황톳길
맨발로 걷다가

# 전화번호

늙은 어머니 모시고
교통사고로 불편하신 이모를
뵙고 온 다음날
이모가 내 전화번호를 알고 싶다고
어머니한테서 전화가 왔다.

그러고,
바쁘단 핑계로
홀로 누워계신 이모에게
전화를 못 드렸다.

결국,
이모가 돌아가시자
이종사촌 동생에게서 내 번호로
부음이 건너왔다.

이모가 끝내
저승까지 가져가버린
내 전화번호

# 첫눈 오시는 밤

첫눈 오시는 밤
중풍으로 쓰러진 우리 할머니마냥
뒤꼍의 감나무 가지가 살그래
불편한 팔을 뻗었다,
달도 뜨지 않는 밤
달 뜨는 쪽을 향해.
반평생 병든 남편 대신해
집안일 갈무리하다 끝끝내
낡은 옷 한 벌로 누운 할머니의
잠시 감은 눈 안에
시집 와 물 끊긴 적 없는
마당가 우물
오래되어 바닥 알 수 없는
아삼삼한 그리움의 냄새
한 대접 같이 퍼 올려서
첫눈 오시는 밤

* 아삼삼한: 생김새나 됨됨이가 마음이 끌리게 묘한.

# 나는

빨랫줄 버팅기는 바지랑대다.

연산 장터 대장간의 망치소리다.

애먼 산길 돌아나간 아린 목소리다.

여름 소나기 두들기는 벙어리 앞산이다.

비오는 날 6천 원짜리 시래기 국밥이다.

막걸리잔 속에 뜬 수몰지 동네

무명 소맷자락 눈물 한번 훔치고

물속으로 돌아나간 고샅길이다.

# 겨울 눈

어쩌라고
눈은 내려
앞마당이 덮이고
흙담장이 덮이고
그러다
툭, 하고 빠진 이빨처럼
끝내 앞산 하나가
통째로 사라졌다.
겨울 눈은 자꾸자꾸
남아 있는 경계를 지운다.

내 이제까지 살아오면서
보이게 혹은 보이지 않게
사람과 사람 사이에
얼마나 많은 선을 그었든가
이제 나도,
경계를 지우고 싶다.

## 봄비

누가
이리 두런거리는가

입춘 지나
갱년기로 잠을 설친 날

누가 밤을 새워
소식 전하러 왔는가

나도 이제 가는귀먹었다.

# 봄날은 간다

감자 심고 와 일찍 잠든 날
뭔 꿈을 꾸시는가 늦게 잠든 아내가
엉엉 울며 한바탕 대성통곡을 한다.
꿈여 꿈, 이렇게 흔들어 깨우고 나니
이번엔 깔깔 낄낄 저 혼자 웃고 난리다.
이 사람이 드디어 미쳤나
뭔 꿈을 이리 대책 없이 꾸나
다시 흔들어 깨울라 하니
꿈에 짜장면 두어 젓가락 먹고 남긴 것
잠시 후 다시 먹으려고 찾으니 없어
누가 내 걸 먹은 거냐고 울다 깼단다.
그 얘길 듣고 둘이 낄낄대다 잠이 달아나
환갑 나우 지난 늙은 부부의
소쩍새 울음도 없이 봄날은 간다.

# 봄날

이른 아침

깰락 말락 사이

창밖 나뭇가지

보일락 말락 사이

마음 놓친 사이

우박처럼 쏟아지는 새소리

줍다가 온몸이 그만,

화알짝 열렸다.

# 허공

네가 있어 나무는 나무가 된다

네가 있어 바람은 제 길을 간다

네가 있어 비로소 온전하게 되는

앞뒤 툭 터져

시퍼보이는.

* 시퍼보이는 : '만만하게 보이는'의 전라도 사투리.

# 산다는 것

열과 성을 다해
열심히 가르치는 것이
훌륭한 선생인줄 알았다.
일거리 집에까지 싸들고 와
그날로 처리하는 것이
제대로 일하는 공무원인줄 알았다.
그 뒤안길에서
열과 성에 밟혀 얼마나
많은 인연들이 무너졌는가
얼마나 많은 허공들이
나에게 말도 못 붙이고
서먹하게 물러나야 했는가

정년을 앞둔 요즘

아아, 산다는 것이

그때그때 만나는

풀꽃이며 사람이며 허공이라는 것을 …….

# 엽서

무량사에 가더라도
대웅전 안 부처는 찾지 마시게
내가 누구냐 궁금하거든
뜰 앞에 선 채
비바람 맞으면서 더러
떠도는 먼지도 감싸면서
비비 틀려 옆구리뼈 앙상하게 드러난
목백일홍 한 그루
거기 하늘길 안부를 여쭤주시게

# 참선하는 시계

안방 화장실
머리 위에 걸려 있는 시계
2시 7분을 가리키다 어느 때는
4시 52분을 가리킨다
아예 초침이 쉬었다 가기도 한다
나 정년퇴직까지
삼십여 년을 같이 보냈다
이제는 너도
네가 가고 싶은 대로
갈 때가 됐다
그렇다,
한세상 휘적거리다보면
2시 7분이 4시 52분이다!

# 근심을 풀다

유치원 안 간다고
떼쓰는 손주처럼
버티며 애 태우더니
따앙 ──────────
가을 산방 양철지붕
상수리 떨어지는 소리에
화들짝 놀라
엉겁결에 쑤욱 미끄러져 나와
빙그레 웃는 고놈
해우解憂 한 덩이

# 황홀

억병으로 취해
에이, 이젠 나도 몰라
내려놓다가 그만
풀벌레 소리에 발 걸려
여름이 진땀으로 만든 녹포대기
깔 맞춤한 풀밭으로 고꾸라졌다.
눈 떠보니 얼라,
그렇게나 애태우며
먼산바라기로 눈 맞추던 별이
몇 광년을 달려와
와락, 안긴다.

## 하나로 묶인다

어떨 때
한 편의 시가 나를
흔들어댈 때가 있다.
그래서 오래 묵은 툇마루
거기 켜켜이 쌓인 슬픔처럼 왈칵,
걷잡을 수 없이 흔들릴 때가 있다.

어떨 때
오래된 책을 읽노라면
한 단어가 어떤 구절이
오래 부빈 살처럼
나를 안고 위로해줄 때가 있다.
괜찮다고 열심히 살았다고

세상은 이렇게
물색없이 뜬금없이

더러 상관없고 있는 것들이 우릴
이렇게 하나로 묶는다
이렇게 하나로 묶인다

# 아저씨의 틀니

이 악물고 살았다
재혼한 어매 따라가
눈칫밥 먹다 뛰쳐나와
이 악물고 살았다
겨울바람 온몸으로 맞다가
중동 사우디 뜨거운 모래바람까지
이 악물고 살았다
한세상 멍석잠으로 떠돌다
나보다 이빨이 먼저 갔다
일흔 중반을 바라보는 나이
이제 남은 것은
병든 몸 누인 집 한 채와
이 틀니 하나지

* 멍석잠 : 너무 피곤하여 아무 데서나 쓰러져 자는 잠.

# 금마타리꽃

꽃이 핍니다.
스물넷에 떠난 사랑
아직도 잊지 못해
쉰이 넘은 지금도 혼자 사는
병수 아재
어릴 적 잃은 소아마비
남은 한쪽 다리로 버팅겨온
한 생애가 저렇게
노란 등불로 허공에 걸렸습니다.

# 고향

예순 넘어 찾은 고향
울먹울먹 내리는 눈발 속에는
시래기죽 끓이는 냄새가 난다.

어릴 적 같이 나무를 탔던
친구들은 하나 둘
바람 부는 가을 녘
짚 검불처럼 떠나고

한데 샘 무밭 너머
저녁 먹어라아 ――――
어머니가 부르던 소리
더 이상 들리지 않아

나이를 먹는다는 것은
외로움 한 바작

어깨에 얹는 일이다.

* 바작 : 지게에 얹어 짐을 싣는데 쓰는 소쿠리 모양의 물건. 발채.

## 501호 ■ 401호

쿵 쿵 쿵 쿵
늙으니께 잠이 없어

드르륵 드르륵
이젠 보행보조기 없인 걷기도 힘들어

찌그덕 찌그덕
실내 자전거도 가끔 타줘야 한다네

부인 먼저 앞세운
501호 주인 영감은 이렇게
자꾸만 나에게 말을 건다.

이제 그는 소리로 남았다.

아파트 위 아래

공간을 넘어
그 외로운 소리가 나를 붙든다.

# 육탈肉脫

되얐다 그만 되얐다

명대계곡 흐르는 물

내 살도 죄 흘러라

굽은 물줄기는 길을 감추고

살은 뼈를 감췄다.

평생 무거운 등짐 지며

내 몸에 붙은 살들 다 흘러가고

비로소 남은 뼈 하나

이 세상 건너며 받은 칼빵처럼

# 지리산

앞산 뒷산 서로 포개져
큰 산이 작은 산 서로 얼싸안고
이룬 疊첩 疊첩 山산 中중
그 주름 하나씩 열며
사람들이 하나 둘 들어간다
세상의 무거운 짐 짊어지고

그렇게 산은
역사歷史가 되었다.

# 제2부

# 떠돌이

오리 주막에서 한 잔 걸치고
가쁜 숨결로 넘는 고갯길
살다보면 때로 매듭 같은 길
쑥꽃 마주 바라보며 넘는 것이냐
고무신 코빼기에 젖는 어둠같이
내 건너갈 강물은 얼마나 깊어 있는가
취한 길 취한 길 너머
쑥꽃 향기가 너무 달구나.

## 떠돌이 2

익모초 몇 사발로 여름도 가고
길가의 들쑥 냄새처럼
길 뜬 맛도 조금씩 짙어질 무렵
주인 없는 밭고랑에 쭈그려 앉아
살 오른 무 하나 씹고 있으니
대추나무는 바람에 취해
대추나무 잎사귀를 지워낸다
돌아보면,
마지막 하나 남은 저 대추 열매처럼
첫서리가 내리기 전에 우리는
모가지를 내밀며
돌아갈 일 하나로 남아 있구나.

# 낮술

바깥에는 종일 바람만 불고
낮술 한 잔에도 쉽게 취한다
이런 날은 손님도 들지 않아서
묵은 귓밥이나 후벼 파내며
할미 같은 주모와 마주 앉으니
낮술 앞에 놓고 얘기도 없이
술잔만 서로 마주 바래어
부연 탁배기 술잔 속에는
열여섯에 떠나온 주모의 고향
물에 잠겨 이제는 돌아갈 수 없는
가느뫼 뒷산 감꽃 떨어져
바깥에는 종일 바람만 불고.

## 폭설暴雪

살아생전 입맛만 다시던
맛 좋은 영광굴비
끄여 한 마리 잡숫지 못하고
외할머니 고만 돌아가시니
그것이 영 마음에 걸려
외삼촌은 볼일도 없으면서
장날이면 꼬박꼬박 장에 가시나
살아생전 입맛만 다시다
기어이 못 잡숫고 돌아가신 외할머니의
허옇게 센 머리카락 같은
폭설 헤치며

# 임리의 봄

내 돌아갈 노잣돈처럼
다순 햇살이 그렇게도 아쉬운 오후
잠깐 비치다 가는 햇살은
머리맡 물사발 속으로 가라앉는다.
겨울 한철 길뜨내기로
떠돌다 머문 이곳에서도
날은 다시 흐려지려나
신열은 잉잉 달아오르고
겨우내 속옷에 가려진 채
조금씩 부어오른 늑골에서는
기침 한 번 할 때마다
마른 살비듬만 부스스 쏟아져 내린다.
갑갑한 마음이 창문을 열면
아아, 저수지 둑 너머로 봄은 오는가
부옇게 쑥물 든 하늘 아래

이른 봄날 벌판 끝에는
마을 아이들만 울긋불긋 몰려나와서
냉이들만 그득 피어 팔려가누나.

# 불고추

재래종 불고추 속에는
야무진 남도 여자 하나 들어있어
“작것이 어쩔거시여”
그 해대는 수작으로 볼작시면
기다란 수입고추는 저리갈 일이었다.
재래종 불고추는
여름 더위를 저 혼자 먹었다가
늦가을에 미친 불기운으로
슬슬 풀어 내놓는 것이지만,
재래종 불고추 속에는
언제나 쌍욕 몇 마디도 서로
멱살잡이로 얼크러져 있어
그것을 먹을 때마다
호호시시 호호시시
가쁜 숨 몰아쉬며
한여름 말라리아도 거뜬히
넘겨버리는 것이거니.

# 가을날

정결한 가을 오후
들녘 참깨 밭을 지나다보면
그 어디서나 들리는 웃음소리
어떤 허파에 바람 든 놈이 있어
그렇게 웃고 있나 찾아가보니
눈부신 가을 햇살에
흐드러진 참깨들이 툭 툭 터져나가면서
그렇게 웃어제끼는 소리였어라.
눈부신 비늘로 흩어지면서
몽둥이 타작에 모가지가 부러져나가도
아파하는 아파하는 기색도 없이
속 내장까지 다 털어놓으면서
웃으면서 터지기 시작하였어라.
온종일 배추 밭을 쏘다니다가
퍼렇게 배추 물이 들은 바람이
덩달아 깔깔대는 가을날 오후

# 마른 명태 한 마리

시를 쓰다가 배가 고픈 밤
부엌 찬장을 뒤져보니
더 배고픈 누가 잡수셨는가
밥사발은 말끔히 부셔져 있고
지난번 제사 때 쓰고 남은
빼빼 마른 명태 한 마리
그거라도 씹으면서 밤을 새우니
씹을수록 맛이 괜찮은 것이
며칠 밤 더 새워도 좋을 것 같아
살다보면 이런 재미도 있는 것인가.

# 꽃그늘

중고 다리 위에 앉아
꽃 파는 아주머니
팔리지 않는 꽃 더미 속
때 묻은 치맛자락도 풀어헤치고
가쁜 숨 몰아쉬며
기침 한번 할 때마다
그을린 얼굴로 가득 번지는
홍역 같은 홍역 같은
여름 꽃그늘

# 수복이 아버지 가시던 날

어여 가소 어여 가소
여긴 아무 일 없응께
뒷집 수복이 아버지 운명하는 날
수복이 어머니 이렇게 달래도
목에까지 숨이 달그락달그락 하면서
눈을 감지 못한다.
조합 빚이 무거워
영혼도 쉽게 뜨지 못하는 것인가
풋보리 같은 자식새끼들 오목가슴에 걸려
넋고개 훌훌 못 넘는 것인가
어여 가소 어여 가소
연방 안심시켜도
끝내 못 미더워
우는 자식들 힘없이 둘러보고 나서
열린 방문 너머로 보이는 보리밭
푸른 보리 물결에 영영 눈을 주다가
고만 숨이 넘어가 버렸다.

# 한만리

진눈깨비가 떨어질 때마다
산들은 풀 풀 날렸다
곡괭이에 찍힌 죽음 하나
마른 풀처럼 가벼워져
구부러진 산길로 돌아나가고
날린 산들을 바람이 거두어
저만큼 밀어놓을 무렵
입안에서 허기로 구겨지는 입김
조금씩 어금니로 눌러 죽이며
마을 사람들은
삽을 멘 채 돌아와 손을 씻었다
어느새 따라와
세숫물 속에 갇혀버린 산
속새꽃이 소리 없이 떨어져
소문처럼 물살에 밀려 나갔다

# 운태 영감

무너진 울타리 근처
아무데서나 피어난 맨드라미 보면
운태 영감의 붉은 얼굴이 생각난다.
육이오 때 피난 내려오다 홀로되어
어쩌다 이 동네 주저앉아
남의 집 머슴도 살고
남의 밭뙈기도 빌려 일구며
코 흘리는 우리 조무래기들
코도 휑 풀어주고
쇠죽솥에 콩가지도 넣었다 주던,
장날이면 쇠전 근처에서 술에 취해
아무나 붙잡고 한 잔 더 하자며
두만강 푸른 물에 흥얼거리고
그 발길 정처 없던 운태 영감
섣달 장날 저물 녘 길게 취해서
동구 밖 논두렁에 숨을 놓았다.

# 운태 영감 2

윗목에 떠다 놓은 물이 어는 밤
멀리 쩌엉 쩌엉 강이 울었다.
저 소리가 무슨 소리냐고
자다 말고 엄니에게 물어보면
죽은 운태 영감이
강을 건너가는 소리라고 했다.
미처 눈 못 감은 영혼이
고향 찾아가는 소리라고 했다.
개마고원 삼수갑산 지나
두만강 푸른 물 근동 어딘가
드디어 고향 찾아가는 소리라고 했다.
쩌엉 쩌엉 다시 강이 울면
꿈인 듯 꿈 밖인 듯
평생 지게등짐 어깨에 배긴
옹이 하나가 절뚝절뚝
운태 영감을 부축하며 데리고 갔다.

# 어느 이산가족의 편지

강물이 풀리는 것
너는 보는가

네가 강을 건너간 뒤
한 얼음덩이가 다른 얼음덩이의
등을 슬슬 밀면서
어느 따뜻한 날
다정한 부부가 목간 나들이 하는 것 같이
그렇게 강물이 풀리는 것
너는 보는가

지금 내사 눈물 나
풀리는 강물 두 겹 세 겹 보이는 것
너는 아는가

# 벙어리꽃

타는 여름 한철 소나기 만나
길 가다가 살 섞은 임진강물은
뜨내기 부부처럼 흘러가다가
가로지른 철조망 가시에 걸려
피 흘리며 피 흘리며 흘러가다가
그 힘도 이젠 다 돼갈 때
마지막 이빨 갈고 무릅쓰다가
삼각파도 한번 치고 문득 몸 풀어
초평도 모래섬 하나 낳으니
애비 없는 유복자식 하나 낳으니
해마다 그 섬에 피어난 꽃은
장단반도 눈 녹이는 봄바람에도
차마 말 못하는 벙어리꽃 되데.

# 꿈

G · P 벙커작업 휴식시간
소리치면 그들의 목소리 들을 수 있고
바라보면 그들의 얼굴 볼 수 있는
그렇게 가까운 거리에서 벌어진
이쪽과 저쪽의 즉흥 오락회
우리가 아리랑을 합창하면
저들은 꽃 파는 처녀로 응수하고
그렇게 서너 곡 오고간 뒤에
어느덧 아쉬운 십분 간 휴식 끝나
공병삽 챙기면서 일어서다가
보았다, 아름답던 한 순간을
한동네 처녀 총각 속 태우다가
나물 캐러 동네 뒷산 서로 만나듯
아리랑과 꽃 파는 처녀가 서로 달려가
비무장지대 한복판에서 살 껴안음을
원추리 상사초도 숨이 막히고

무더기 진달래들도 가슴이 벅차
울먹울먹 하다가 꽃사태 지는
그해 사월의 기막히던 한 순간을.

# 소낙비

아버지는 우릴 버렸다.

버려, 우리 형제들 뿔뿔이 흩어져

더러는 저자거리 먹고개 너머

주막거리 탁배기로 팔려나가고

더러는 천방지축으로 떠돌았다.

아아, 아버지가 버린 우리들

뒤돌아보지 말고 뒤돌아보지 말고

가자, 싸리나무 울타리의 종아리를 후리면서

가린 앞산도 무너뜨리면서

이제는 가자

가마솥도 끓는 이 여름

내내 타던 봉천지기로

뒷산에 우거진 가시덤불 숲엔들

빈 지게 위에 꽂혀

파르르 떠는 왜낫 끝엔들

우리가 어디엔들 서지 못하랴

가자, 시들어 떨어지는 콩밭 속으로
포기 포기 배어 있는 어매의 눈물 밟으며
아아, 번개가 길을 밝히는데
동구마다 날 세운 탱자나무 디디며
피 흘려 꽃피우는 절름발이 춤추며
가자, 우리 애비 없는 자식들이여

* 봉천지기 : 물줄기가 없어서 비가 와야만 모를 내고 기를 수 있는 논.

# 편지

돌아오라
동당골 논둑 밟으며 떠나간 사람
돌아오라
꽁꽁 언 강 얼음 밟으며 묶여간 사람
네가 떠나고 우리는 남아
겨울 보리밭이나 자근자근 밟으며 견뎌낸다만,
이제 이 땅에 봄은 다시 찾아와
얼었던 강물 봉두난발로 풀리고
우리가 신발창에 달라붙는 진흙 떼어낼 때
겨우내 하얗게 까무러쳤던 칡은
보드라운 속살 내밀며
다시 뻗기 시작할 것이다.
아아, 돌아오라
뒤숭숭한 소문만 무성한 사람

# 여름날

낮잠 깨어나서
창밖을 보니
세상은 잠시 어두워지고
여름 한낮 벼락 불꽃으로
길이 열린다.

# 애장터에서

억하심정으로 내리는 눈
오리나무 옆에 받쳐진 지게 위
무명 포대기에 내리는 눈
흙을 파헤쳤다 메우고
파헤쳤다 메우고
한밤중이 기울고
오리나무도 기울고
끝내, 실성한 울음 위에
지게 목발 두드리며 내리는 눈

# 제3부

## 저녁

초등학교 다니던 어린 시절
밭일 거들고 집에 와
밥이 다 되길 지루하게 기다리며
감꽃 주워 씹던 허기진 저녁
밥 짓는 연기가 고샅을 돌아
쌀뜨물마냥 낮게 깔릴 때
외양간 옆 낡은 바람벽에선
하루의 힘든 노동을 마치고
들판에서 돌아온 연장들이 서로
팔을 나눠 베고 나란히 누워
도란도란 얘기하다간 잠이 들지요
그러면 언제나 어머니처럼
뒤뜰 감나무가 그림자 늘여
말없이 포근한 이불 덮어줬지요.

# 벽지僻地 1

오늘은
과제물을 내지 않은 한 아이를 때리고
저녁 들판으로 나왔다.
엷어져가는 햇살 속에서
보리 베기를 마친 농부들이 하나 둘
집으로 돌아가고,
군데군데 개망초 무더기에 싸여
토끼풀을 뜯던 원뚝 아이들이
나와 마주치자
흰 이를 반짝이며 지나갔다.
무엇을 서두르는가
점심시간이면 몰래 교실을 빠져나와
학교 뒷산에서 어정대던 그 아이들을
아아, 나는 무엇에 쫓기고 있는 것인가
인가의 불빛도 아득한 이곳
축축해져 오는 보릿대 옆에 앉아
보리들의 가쁜 숨소리를 들으며.

# 벽지僻地 2

사루비아도 들국화도 피어 있는 화단
네가 없는 동안 더욱 웃자란 잡풀들을
수업이 끝나고 아이들과 함께 뽑아내며 나는
파랗게 풀물이 든 너의 손톱과 함께
끝내 돌아오지 않는 너를 생각했다.

차부 근처에서 너를 보았다는 아이도 있고
죽은 엄마가 계시던 남면 외갓집
거기에 가 있다는 말도 더러 돌지만
네가 가꾸다 간 잔디들을 보며
나는 아무 소문도 믿지 않았다.

늦가을이면 잡풀들의 뿌리도 깊어지는가
누렇게 마른 잡풀들을 잡아당기다 보면
애꿎은 대궁만 잘려나가고
깊이 감춰진 뿌리는 쉽게 뽑히지 않는다.

어느새 해는 기울고
길어진 채 서로 얼크러진 그림자들 속에서
아이들은 이제 작업도구를 챙기기 시작한다.
어두운 화단 한 구석에 모가지를 내민 채
쌀쌀한 바람 속에 서 있는 사루비아를 보며
오늘도 나는 힘없이 종례를 끝냈다.

# 벽지僻地 3

방학이라 아이들도 놀러오지 않는 교무실
톱밥난로가 저 혼자 타고 있었다.
난로가 탈 때마다
풀풀 날리는 톱밥 먼지들이
마른 풀씨처럼 실내를 떠돌아다니는데
지금 내 앞에 고개를 떨구고 앉아 있는 아이는
저번 가을 집을 나갔던 대운이
추운 겨울날 국어시간이면
네가 쓴 「칡」이라는 시를
낡은 칠판 가득 써놓고
다 함께 소리내어 읽으면서 우리는,
아직도 소식이 없는 너와 함께
어서 봄이 왔으면
어서 봄이 와 연한 새순들을 밀어낼
굵디굵은 그 구둥박이를 떠올리곤 했다.
텅 빈 교무실의 톱밥난로는 다 타서

위에 쌓였던 톱밥더미는 와르르 무너지는데
너는 갈라진 손등만 자꾸 가리려 하는데
나는 끝내 아무것도 물어볼 수가 없었다.

* 구둥박이 : 칡의 머리 부분

## 벽지僻地 4

장학검열 며칠 앞둔 직원조회 시간
쉰이 넘은 새마을과장은,
일정시대 땐 환경이 아주 깨끗했었다고
변소 앞 징검다리에 콩 떨어져도
주워 먹을 정도로 반질반질했었다고
요즘 학교 환경은 너무 지저분하다고
교실이 아니라 숫제 파리 휴게실이라고
앞으로 모든 교실 바닥에는
기름칠을 하라고 지시했다.
다음날부터 거의 모든 교실에서는
집에서 잘 먹지도 못하는 들기름 참기름을
아이들에게 가져오게 해
일제히 기름칠이 시작되었다.
장학검열 나온 장학사는
담당이 청소장학사인지
수업하는 교실 잠깐 둘러보고 나서

학교 교실이 더없이 깨끗하니
다른 일들은 안 봐도 알 수 있다며
술술 공치사를 늘어놓다가
준비된 저녁 회식을 위해 서둘러 떠났다.
교장 교감 과장들이 모두 떠난 교무실에는
평교사들만 남아 실없는 농담 주고받다가
하나 둘 퇴근을 서두르고,
잘 닦여진 유리창 너머
가뭄으로 누렇게 까무러친 마늘 잎사귀를 밟으며
썩은새 같은 어둠이 몰려오고 있었다.

## 소금창고

지금도 그곳에선
바람이 불 때마다
비명 소리가 나

줄줄이 묶여 끌려와
발버둥 치다 하얗게 쓰러지던,
어지럽게 널린 그날
고무신들의 아우성

지금도 그곳에선
해질 녘 노을 아래
피 냄새가 나

이젠 다 지난 일이라고
저승꽃 핀 저 문짝처럼
기억조차 가물가물해진다고

지나가던 바람이 다독거리는 곳

바닷가 버려진
낡은 소금창고

# 고파도

배고파도 배고파도
보릿고개 높아
푸른 보리 먹을 날
알 수 없다네

보고파도 보고파도
물길은 깊어
시집간 딸 소식
알 수 없다네

어매 어매 우리 어매
밥사발 고봉밥 같은
어매 무덤가
올해도 조록싸리
저리 피었소

* 고파도 : 충청남도 서산시 팔봉면 고파도리에 있는 섬.

# 내 마음도 약해졌다

요즘 들어 부쩍
학교에 오는 잡상인이 늘었다.
쌤베 과자도 팔고 면양말도 팔고
중국산 대나무 돗자리도 판다.
하나 팔아달라는 성화가 귀찮아
젊어서는 더러
바쁜 척도 하고 자리도 피했다.
언제부터인가
그들이 오는 것이 싫지 않았다.
밥풀이 달라붙지 않는다는 주걱도 샀다.
아내는 나를 보고 늘
사람이 독하다고 하지만
아니다,
내 마음도 약해졌다.

## 동백冬柏

내 눈 속의 그늘
그 언저리를 고무신 밑바닥으로 돌아서
너는 이제 돌아와
그늘이 만드는 웃음소리와 함께 흔들리면서

흘러가는 물이 제 소리에 취해
가끔 자신을 잊어버리듯
우리도 우리 목소리에 취해
가끔 자신을 잊어버린다.

우리 만행萬行의 그런 겨울날
네 피는 더워서 싸락눈으로 살 씻고
한밤중에 깨어나 몇개의 등불 밝히며
긴 어둠 언저리를 고무신 밑바닥으로 돌아서
너는 이제 돌아와
내 가슴의 앞섶을 연다.

| 해설 |

# 전인 시인의 새로운 길 찾기

윤재철(시인)

1988년 7월 2일 KBS 제1TV는 1985년 교육계에 큰 회오리를 일으켰던 『민중교육』지 사건을 다룬 논픽션드라마 『녹두와 술래잡기』(연출 박광호)를 방영했다. 그리고 이틀 뒤인 7월 4일 당시 중앙일보 기자였던 기형도 시인은 이 드라마에 대한 리뷰를 신문에 싣는다. '『민중교육』지 사건 다뤄 참된 교육자상 제시'라는 제목이 붙은 이 기사에서 기형도 시인은 "제 5공화국 시절의 상징적인 교육탄압으로 기억되는 이 사건이 얼마나 어처구니없는 이데올로기적 발상에서 비롯되었는지를 폭로한 드라마는 『녹두와 술래잡기』가 처음"이라면서, 이 드라마가 "농촌학생들의 시 5편을 게재했다는 이유만으로, 그것도 어느 중학생이 쓴 '잡초'라는 이미지가 '민중'을 의미하고 있다는 혐의를 뒤집어쓰고 학교에서 쫓겨나야 했던 선량하고 사명감 넘치는 전인순 교사(당시 31세 · 서산 팔봉중학교)의 이야기"를 다루고 있다고 썼다. 전인 시인을 '선량하고 사명감 넘치는 교사'로 묘사한 것이 눈에 띄는데, 기형도 시인은 그가 시인이면서 기자인 것처럼 전인이 시인이면서 교사라는 사실은 별로 주목을 안 했던 것 같다. 드라마 자체가 '참된 교육자상'을 부각시킨 데에도 이유가 있겠지만 그것은 전인 시인을 민중교육 관련 해직교사, 그것도 단지 학생 작품을 잡지에 실게 해 해직된 선량한 교사로만 본 당시의 일반적인 관점에 기인한 것인지도 모른다.

그러나 학생 작품을 『민중교육』지에 실을 수 있었던 것은 그렇게 단순한 행동은 아니다. 그것은 그 자신 시를 쓰고 또 학생들을 상대로 시를 가르쳐 온 실천적인 활동의 결과물이었던 것이다. 그러니까 그것은 문학적 활동이자 동시에 교육적 활동의 결과물이지 단지 '선량하고 사명감 넘치는 교사'로서만 가능한 일은 아니었다. 당시 그는 대전 · 충남 지역을 중심으로 왕성한 활동을 벌이고 있던 『삶의 문학』 동인으로 작품 활동을 하면서 동시에 충남 서산의 팔봉중학교에서 국어교사로 재직하고 있었다. 따라서 자연스럽게 자신의 문학관에 입각해서 학생들에게 문학을 가르치고 또 글쓰기교육을 적극 실천했던 것이다. 특히 글쓰기교육은 당시에 번지기 시작한 '삶을 가꾸는 글쓰기 교육'과 궤를 같이 하는 것이기도 했다. 그것은 이념적으로 편을 가르는 것이 아니라 근본적으로 글쓰기에 대한 태도의 변화를 유도하는 것이었다. 다시 말하자면 학생들이 단지 아름답고 모범적인 글 쓰기를 바라는 것이 아니라 자기의 삶을 바로 보고 정직하게 쓰기를 권유하는 것이었다.

이러한 정황은 2005년 《중도일보》의 '시로 여는 아침'란에 소개된 「벽지」라는 시에서도 확인이 된다.

방학이라 아이들도 놀러 오지 않는 교무실
톱밥난로가 저 혼자 타고 있었다.
난로가 탈 때마다
풀풀 날리는 톱밥 먼지들이
마른 풀씨처럼 실내를 떠돌아다니는데
지금 내 앞에 고개를 떨구고 앉아 있는 아이는
저번 가을 집을 나갔던 대운이
추운 겨울날 국어시간이면
네가 쓴 「칡」이라는 시를

낡은 칠판 가득 써놓고
다 함께 소리내어 읽으면서 우리는,
아직도 소식이 없는 너와 함께
어서 봄이 왔으면
어서 봄이 와 연한 새순들을 밀어낼
굵디굵은 그 구둥박이를 떠올리곤 했다.
텅 빈 교무실의 톱밥난로는 다 타서
위에 쌓였던 톱밥더미는 와르르 무너지는데
너는 갈라진 손등만 자꾸 가리려 하는데
나는 끝내 아무것도 물어볼 수가 없었다

—「벽지」 전문

벽지는 사전에는 "외따로 뚝 떨어져 있는 궁벽한 땅. 도시에서 멀리 떨어져 있어 교통이 불편하고 문화의 혜택이 적은 곳을 이른다."고 되어 있다. 전인의 시에서 '벽지'는 교육계에서 쓰는 용어로 '벽지학교'를 가리키는 것으로 보이는데, 대부분의 교사들이 근무 환경이 열악한 탓에 기피하는 곳이기도 하다. 이 시에서는 교무실에 피운 톱밥난로가 그곳이 벽지임을 알려주고 있다. 시에는 톱밥 먼지 날리는 텅 빈 교무실에서 고개를 떨구고 앉아 있는 아이에게 매를 들기는커녕 아무 말도 하지 못하는 긴장감이 가득 서리어 있다. 그것은 자꾸 가리려고 애쓰는 아이의 손등이 모든 것을 말해주기 때문이기도 할 것이다. 아마 아이는 가출해 도시의 중국집에서 자장면 그릇이나 닦아주다가 다시 돌아왔을 것이고, 그를 가출로 내몬 가정의 형편은 조금도 달라지지 않았을 텐데 그런 아이의 고통을 누구보다도 잘 알고 있는 교사로서 도대체 무슨 말을 할 수 있을 것인가. 그런 고통스러운 침묵 속을 톱밥더미만 무너져 내리는 벽지학교 겨울 교무실.

이 작품에는 '선량하고 사명감 넘치는 교사' – 사실은 참담한 교육현실 속에서 인간적으로 고뇌하는 교사 – 로서의 전인이 잘 드러나 있다. 그러나 시인으로서의 전인의 모습이 잘 드러나 있기도 한데, 그것은 가출한 아이의 시를 칠판 가득 써 놓고 함께 소리내어 읽으면서 봄과 함께 아이가 돌아오기를 바라는 마음으로 나타나 있다. 여기서 시 낭독을 통해 그 아이의 아픔을 이해하고 공유하려는 노력은 교육적인 행동이면서 문학적인 행동으로 볼 수 있다. 그것은 그냥 선량한 교사로서만 가능한 것이 아니고 열정이 가득한 시인이 아니고는 불가능한 행동인 것이다. 이 시가 언제 발표된 것인지는 알려져 있지 않은데 체험 내용으로 보면 1985년 『민중교육』지 사건 이전, 그러니까 그가 초임교사로서 교육이나 시 창작에 열정을

불태웠던 팔봉중학교 시절인 것으로 짐작된다.

그가 해직되고 난 이듬해에 펴낸 『생강 캐는 날』(1986, 도서출판 온누리)은 이러한 그의 문학적이면서 교육적인 활동의 결과물이다. 자신의 시집보다도 먼저 펴낸 책이기도 하다. 이 책은 농촌 학생들의 삶과 노동의 기록이라는 점에서 호평을 받았고, 이후 중고생 추천도서 목록에 올라 널리 읽히기도 했다. 당시 학생들의 글 모음으로는 이 책이 처음은 아니지만, 농촌 지역의 한 표본으로 서산 팔봉중학교 학생들의 글을 집중적으로 정리함으로써 농촌 학생들의 삶의 현실과 함께 농촌 지역의 여러 문제점들을 조망할 수 있게 해준 공이 크다. 또한 삶을 가꾸는 글쓰기 교육의 한 예로 높이 평가받기도 했다.

이 시절 그의 문학 활동은 아주 왕성했는데 그런 만큼 시적 관심사도 다방면에 걸쳐 있었다. 비단 교육 문제뿐만 아니라 분단 문제나 민중 현실 등도 그의 주요한 시적 주제였다. 2부의 시들이 대체로 여기에 해당하는데, 그중 분단 현실을 노래한 것으로는 「운태 영감 1 · 2」가 대표적이다. 분단시가 흔히 그런 것처럼 관념적이면서 목소리만 높아지기 쉬운데 이 시는 어린 시절 시인이 직접 체험한 운태 영감을 통해 분단의 아픔을 담담하게 형상화하고 있다.

"육이오 때 피난 내려오다 홀로되어 / 어쩌다 이 동네 주저앉아 / 남의 집 머슴도 살고 / 남의 밭뙈기도 빌려 일구며 / 코 흘리는 우리 조무래기들 / 코도 휑 풀어주고 / 쇠죽솥에 콩가지도 넣었다 주던" 운태 영감은 어린 시절 시골에서 더러 보았던 피난민 농부이다. 그러니까 유별난 사람이 아니라 우리들 삶 속에서 이웃으로 살아가는 평범한 민중의 한 사람인 것이다. 시인은 바로 그런 평범한 민중 속에서 분단 현실의 아픔을 꿰뚫어 본다. "장날이면 쇠전 근처에서 술에 취해 / 아무나 붙잡고 한 잔 더 하자며 / 두만강 푸른 물에 흥얼거리고 / 그 발길 정처 없던 운태 영감 / 섣달 장날 저물 녘 길게 취해서 / 동구 밖 논두렁에 숨을 놓았다."는 운태 영감. 한겨울 섣달에 길게 취해 논두렁에 숨을 놓았다면 그것은 얼어죽었다는 말일 것이다. 발길 정처 없던 한 피난민 농부의 죽음을 시인은 슬프다는 말 한 마디 없이 담담하게 이야기하고 있다. 대신에 "무너진 울타리 근처 / 아무데서나 피어난 붉은 맨드라미"에 운태 영감을 오버랩시키고 있다.

「운태 영감 2」는 죽어서도 돌아가지 못하는 운태 영감의 한을 한겨울 '강이 우는 소리'로 청각적으로 형상화하고 있다. 어릴 적 겨울밤 자다가 들은 '쩌엉 쩌엉 강이 우는 소리'를 엄니(어머니) 입을 통해 죽은 운태 영감이 강을 건너는 소리로 그려내고 있다. "개마고원 삼수갑산 지나 / 두만강 푸른 물 근동 어딘가 / 드디어 고향 찾아가는 소리"로 서술하고 있는 것이다. '강이 우는 소리'는 물리적으로는 밤이 되어 기온이 내려가고 강이 더욱 얼어붙으면서 내는 소리이다. 이를 통해 해소되기는커녕 더욱 엄혹해져 가는 분단 현실을 상징적으로 형상화한 것이다.

위에서 인용한 「벽지」를 《중도일보》'시로 여는 아침'란에 선한 김완하 시인(한남대 문창과 교수)은 다음과 같은 짧은 평문을 썼는데 여러모로 시사하는 바가 크다.

> 속설에 대학 문학상을 여러 분야에서 휩쓸면 이후 문학활동이 잘 풀리지 않는다는 징크스가 있단다. 전인순, 대학에서 문학상을 시로, 소설로, 비평으로 휩쓸고 장래가 촉망되던 문학청년. 그러나 그는 1980년대 중반 참교육활동에 뛰어들어 교육현장에 열의를 바치고 전교조 지회장을 맡기도 했다. 뭐, 원고지에 남기는 것만이 문학인가? 일생을 소신 있게 살아간 그의 삶이 더 빛날진저!
>
> — 김완하 시인 홈페이지에서 인용

『민중교육』지 사건으로 해직된 후 저조해진 전인 시

인의 문학 활동을 두고 한 말로 짐작된다. 원고지에 남기는 것만이 문학이 아니고 일생을 소신 있게 살아간 그의 삶이 더 큰 문학일 수도 있다는 의미로 읽을 수 있지만, 한편으로는 문학적인 재능을 더 크게 발휘하지 못하고 있는 그에 대한 안타까움을 돌려 표현한 것으로도 읽을 수 있다.

김완하 시인의 평문에 따르면 전인이 문학에 대해 손을 놓은 것은 교육민주화운동 때문인 것으로 보인다. 당시 해직된 교사들이 이후 교육민주화운동의 일선에 선 것과 마찬가지로 전인 역시 일선에서 싸움에 동참하지 않을 수 없게 된다. 해직교사로서는 이 싸움이 복직과도 연계되기 때문에 일선에 서지 않을 수 없었지만, 그보다는 부당한 탄압으로 촉발된 정의감 곧 교육민주화에 대한 열망이 그를 운동의 일선에 세운 것으로 보인다. 그런 3년여 싸움 끝에 『민중교육』지 사건 해직자들은 1988년도에 복직을 하게 된다. 그러나 한숨 돌리기도 전에 교육민주화운동의 격랑은 교원노조운동으로 물길을 바꾸면서 더욱 큰 싸움으로 번지고, 복직교사들 역시 이 싸움에 동참해서 싸우다가 1989년 다시 해직된다. 두번째 해직이다. 그러고는 1994년 복직될 때까지 그들은 또 다시 긴 싸움의 여정에 들게 되는 것이다.

전인 시인의 문학적인 변곡점이 『민중교육』지 사건인 것은 분명해 보인다. 이후 그는 거의 시를 쓰지 못하고 긴 공백기를 맞게 된다. 그는 1994년 복직 이후에도 몇 년은 교육운동에 헌신하지만 1999년 전교조가 합법화되고 교육현장이 어느 정도 안정되면서는 점차 활동의 일선에서 물러났던 것으로 보인다. 그런데 운동의 일선에서 놓여난 것이 곧바로 문학으로의 복귀를 의미하지 않은 데서 그의 문학적 공백기는 길어지게 된다. 이즈음에 그는 자신만의 새로운 문제에 발목을 잡히게 되는데, 사실 이 문제가 교육운동보다 더 크게 그의 문학에 영향을 미쳤는지도 모른다.

새로운 문제는 그의 내면에서 북받쳐 오른 것으로 보다 근원적인 것이다. 한마디로 그것은 깨달음에 대한 갈구였는데, 죽음에 관한 것이나 나는 누구인가 하는 문제에 관심이 쏠리기 시작한 것이다. 이러한 깨달음에 대한 갈구가 어느 시점에서 단기간 내에 생겨난 것으로 보기는 어려울 것 같다. 이것은 그가 시를 쓰기 시작할 때부터 그의 가슴 속에 내재되어 있었다고 보는 것이 맞을 것 같다. 그런 것이 교육운동에 헌신할 때는 잠복되어 있다가 그 문제가 어느 정도 해결되고 나서 표면화한 것이다. 이 무렵 그는 학교를 서산 태안에서 보령과 부여를 거쳐 고향인 논산으로 옮기면서 집도 계룡산 자락에 위치한 논산시 상월면으로 옮기게 된다. 이때 황토집을 짓고 손수 텃밭도 가꾸면서 살았는데, 그것은 단순하게 귀농을 실현한 것이 아니라 명상과 수행을 위한 방편이었던 것으로 보인다. 이렇게 해서 더욱 길어진 문학적인 공백에 대해 전인 시인은 자신은 단순해서 두 가지를 동시에 못한다고 가볍게 말하지만, 그의 시적 공백에는 많은 아픔과 고뇌가 똬리를 틀고 있었던 것 같다.

이런 그가 다시 시를 쓰기 시작한 것은 정년 퇴직이 가까워서이다. '시인의 말'에서는 자신의 삶을 정리하고 싶어서 시를 썼다고 했는데, 여러 가지 의미를 함축하고 있는 것 같다. 어쨌든 1부의 시는 나이 들어 새롭게 쓴 것들로 이 시집의 많은 분량을 차지하고 있다. 1부의 시들 중에는 나이나 연대가 직접 드러나 있는 시들도 여러 편 있다. "예순 다섯 어느 날"(「냉장고 문 앞에서 길을 잃다」), "환갑 나우 지난 늙은 부부의"(「봄날은 간다」), "정년을 앞둔 요즘"(「산다는 것」), "나 정년퇴직까지 / 삼십여 년을 같이 보냈다."(「참선하는 시계」) 같은 시구가 그것이다. 이 중 그의 평생의 화두인 길 찾기와 관련해서 우선 눈에 띄는 것이 「냉장고 문 앞에서 길을 잃다」이다.

한평생 길을 찾아다니다가

예순 다섯 어느 날

문득,

냉장고 문 앞에서 길을 잃었다.

내가 무엇 하러 여기에 왔지?

찾는 것이 반찬인가 채소인가

아니면 무엇이지?

그 길은, 전교조 창립 당시 장학사 강요에 의해 탈퇴각서 받으러 먼 길 허위허위 달려오셔서 차마 그 얘기 할 수 없어 손녀 머리만 쓰다듬고 가신 초등학교 교감 선생님 우리 아버지의 뒷모습일까?

그 길은, 교육사회운동에 바빠 매일 밤늦게 들어오는 엄마 아빠 때문에 집 앞 가게에서 물건을 훔쳐서라도 엄마 아빠 관심을 끌려고 했던 초등학생 우리 딸의 훗날 고백일까?

불과 몇 걸음 사이에

디딘 땅이 푸욱 꺼진 것처럼 아득해져서

길을 잃고 잠시 생각해봤다.

예순 다섯 어느 날

—「냉장고 문 앞에서 길을 잃다」 전문

'예순 다섯'이라는 나이로 보아 아주 최근에 쓴 것으로 보이는 이 시는 여러모로 의미 심장하다. 우선 제목부터 가 특이한데 다른 곳도 아닌 '냉장고 문 앞'에서 길을 잃었다고 쓴 것이다. 냉장고란 것이 무엇인가. 반찬이나 식재료나 음료를 상하지 않도록 보관하는 기계 장치가 아닌가. 말하자면 생존에 필수적인 먹을 것 마실 것이 항상 들어 있는 곳이다. 배가 고프다든지 목이 마르면 우리는 냉장고로 다가가고 습관적으로 냉장고의 문을 열게 된다. 거의 무의식적인 행동이다. 그런데 나이든 사람들이 더러 그런 것처럼 냉장고 앞으로 가긴 갔는데 무얼 꺼내려 갔는지를 잊어 버릴 때가 있다. 관성적인 행동이 갖는 오류 같은 것이다. 그것은 누구에게나 일어날 수 있는 평범한 현상인데 시인은 여기에서 순간적으로 생각이 비약한다. 곧 냉장고 문 앞에서 무얼 찾을지 잊어버린 것을 삶의 길을 잃었다고 생각한 것이다. 그러고는 자신이 한평생 길을 찾아다니면서 찾는 것이 도대체 무엇인가 반문하게 된 것이다.

냉장고 문 앞에서 길을 잃었다는 것은 단지 그가 먹고 살기 위해 말하자면 생계를 위해 아등바등 살아오다 어느 날 문득 회의를 느꼈다는 뜻은 아니다. 이 시에서의 냉장고는 '삶의 관성'을 상징한다. 냉장고 앞으로 가는 무의식인 행동은 관성적으로 살아가는 삶의 방식이나 태도를 의미한다. 그래서 어느 날 냉장고 문 앞에서 무엇을 찾으러 왔는지 잃어버렸을 때, 시인은 아무런 반성이나 깨달음 없이 관성적으로 살아온 자신의 모습을 본 것이다.

그런 깨달음의 순간 그는 자신이 찾는 길이 '아버지의 뒷모습'이나 '딸아이의 고백'에 있지 않을까 생각한다. 그것은 그가 자신의 길이 옳다고 믿고 그것이 전부라고 생각하며 달려갈 때는 보지 못했던 것들이다. 자신의 직이 위협받는 상황에서 아들에게 전교조를 탈퇴하라는 말은 한마디도 꺼내지 못하고 손녀의 머리만 쓰다듬고 가신 아버지의 고뇌 그리고 늘 밤늦게 들어오는 엄마 아빠의 관심을 끌기 위해 집 앞 가게에서 물건을 훔칠 생각까지 한 딸아이의 외로움. 그것은 그가 자신의 신념을 위해 앞만 보고 달릴 때에는 보이지 않던 인간의 뒷모습이자 속살이다. 내면이다.

이러한 삶에 대한 새로운 성찰은 반성을 수반한다. 「냉장고 문 앞에서 길을 잃다」도 아버지와 딸에 대한 미안한 마음을 바탕에 깔고 있지만, 「어깨」라는 시에서는 아내에 대한 반성으로 나타난다. 아내의 말에 언제나 따지고 결론 내리며 내 말만을 하면서 아내에게 말없이 기댈 어깨가 되지 못했던 자신을 반성한다. 또한 「늦사과꽃」에서는 뒤늦게 핀 하얀 사과꽃을 보면서 "언제 한번 나는 자식들에게 / 괜찮다 다 괜찮다 한 적 있었던가 / 키우면서 때로 맘에 안 드는 행동 / 말없이 따스하게 안아준 적 있었던가"라고 반성한다. 그것은 비단 가족들뿐 아니라 타인에 대한 일반적인 행동방식으로까지 나타나는데, 「산다는 것」이라는 시에서는 "열과 성을 다해 / 열심히 가르치는 것이 / 훌륭한 선생인 줄 알았다." 그런데 "그 뒤안길에서 / 열과 성에 밟혀 얼마나 / 많은 인연들이 무너졌는가 / 얼마나 많은 허공들이 / 나에게 말도 못 붙이고 / 서먹하게 물러나야 했는가"고 묻고 있다. 어떤 일에 열과 성을 다하는 것은 현실 세계의 훌륭한 덕목으로 꼽히는 것이다. 그러나 그런 행동조차 타인에게는 마음의 상처로 작용할 수 있다는 반성이다.

이와 같이 반성에서 시작되는 그의 새로운 길 찾기는 필경 나와 존재 사이의 경계 허물기로 나아간다. 존재와 존재 사이의 경계는 각각이 갖는 존재의 특징을 규정하기도 하지만 나와 남을 분별하고 차별하기 시작하는 지점이기도 하다. 따라서 경계 허물기는 나를 지우고 존재와 하나로 소통하는 일이기도 하다.

어쩌라고
눈은 내려

앞마당이 덮이고

흙담장이 덮이고

그러다

툭, 하고 빠진 이빨처럼

끝내 앞산 하나가

통째로 사라졌다.

겨울 눈은 자꾸자꾸

남아 있는 경계를 지운다.

내 이제까지 살아오면서

보이게 혹은 보이지 않게

사람과 사람 사이에

얼마나 많은 선을 그었든가

이제 나도,

경계를 지우고 싶다.

—「겨울 눈」 전문

아직은 '~싶다'라고 해서 소망형에 머물고 있지만 그의 새로운 길 찾기가 어디에 있는가를 짐작할 수 있게 해준다. 이러한 경계 허물기는 존재가 스스로 헐거워지는 것을 통해 나타나는데, 「겨울 눈」에서는 그런 헐거워짐

이 "툭, 하고 빠진 이빨"로 표현되어 있다. 그것은 또 다른 시 「못」에서는 나무문짝의 구석에서 구부러진 채 녹슬어 가고 있는 못을 "노인처럼 풍치에 흔들리는 / 나무문짝의 이빨"에 비유하는 것으로 나타난다. 한때는 생나무판의 뒤틀림을 잡아주기도 했을 못이 "이제 그 이빨 더 이상 나무를 물지 못해 / 가벼운 바람에도 삐걱대고" 있는 것으로 표현되어 있는 것이다. 이러한 헐거워짐은 이제껏 존재를 지탱하던 긴장감의 해소를 의미하는데 「계족산 황톳길」같은 시에서는 '무장해제'라는 말로 표현되어 있다.

그의 경계 허물기는 「참선하는 시계」에서 2시 7분을 가리키다 어느 때는 4시 52분을 가리키기도 하는 고장 난 시계로 나타난다. 안방 화장실 머리 위에 걸려 "나 정년 퇴직까지 / 삼십여 년을 같이 보낸" 낡은 시계는 이젠 시간의 경계를 넘어서서 자기 가고 싶은 대로 멋대로 가고, 시인은 그것을 너그럽게 바라보고 있는 것이다. 시인 자신도 이미 일초 일분을 재고 시간에 쫓기는 현실 생활에서 놓여났다는 뜻이기도 한데 그것은 바로 존재를 규정하고 옥죄었던 시간의 경계 허물기가 될 것이다.

이러한 경계 허물기는 「봄날」이나 「황홀」같은 시에서 삶의 구경(지극한 깨달음)을 엿보는 극적인 체험으로 형상화되었다.

이른 아침
깰락 말락 사이
창밖 나뭇가지
보일락 말락 사이
마음 놓친 사이
우박처럼 쏟아지는 새소리
줍다가 온몸이 그만
화알짝 열렸다

—「봄날」 전문

억병으로 취해
에이, 이젠 나도 몰라
내려놓다가 그만
풀벌레 소리에 발 걸려
여름이 진땀으로 만든 녹포대기
깔 맞춤한 풀밭으로 고꾸라졌다.
눈 떠 보니 얼라,
그렇게나 애태우며
먼산바라기로 눈 맞추던 별이
몇 광년을 달려와

와락, 안긴다.

—「황홀」 전문

“이른 아침 / 깰락 말락 사이 / 창밖 나뭇가지 / 보일락 말락 사이”는 존재나 현상의 경계 지점을 나타내는 것으로 보인다. 그 경계 지점에서 마음을 놓친 사이 말하자면 경계가 잠시 허물어진 사이로 새소리가 우박처럼 쏟아지고 온몸이 활짝 열렸다는 것이다. 순간적인 어떤 깨달음을 극적으로 형상화한 이 시는 한 소식을 들은 스님의 선시(禪詩) 같은 느낌을 주기도 한다.

이것은 「황홀」이라는 시도 마찬가지다. 억병으로 취해 이젠 나도 몰라 하며 모든 것을 내려놓는 것은 비록 술에 의한 것이기는 하지만 스스로 완전 무장해제되었다는 것을 의미한다. 그러다가 “풀벌레 소리에 발 걸려” — 이 표현은 참으로 절묘한 바 있다. 말하자면 풀벌레 소리에 정신을 빼앗겼다는 말인데 자연과의 교감을 에둘러 표현한 것으로 보인다. — 고꾸라지고, 모든 것 포기하고 풀밭에 누운 상태에서 그렇게나 애태우며 먼산바라기로만 눈을 맞추던 별을 가슴에 안는 것이다. 제목을 ‘황홀’로 달았다. 이러한 극적인 체험을 시로 형상화한 것은 그의 새로운 길 찾기가 어느 정도 궤도에 올랐다는 것을 의미하기도 해서 주목된다.

새로운 길 찾기는 그의 말에 따른다면 '명상과 수행'이다. 이제 "모든 의무의 짐 내려놓고" 생의 마지막을 내면의 끌림에 따라 불교의 마음 공부에 전념하는 일이다. 그러한 길에서 시 쓰기는 오히려 걸림이 될 수도 있다. 삶을 정리하고 싶어 시집을 낸다는 그의 말은 이제 시 쓰기를 그만 두고 본격적으로 그런 공부로 향하겠다는 어떤 다짐의 말로 읽히기도 한다. 이 시집에는 그런 진정성이 담겨 있다. 그것이 이 시집을 허투루 읽을 수 없는 이유이기도 하고 또한 이 시집을 단지 문학의 잣대로만 평가할 수 없는 이유이기도 하다.

결국, 이 시집은 시인의 말처럼 "길을 찾아 끼웃거린 평생의 흔적"이다. 그의 첫 시집이자 마지막 시집이 될지도 모른다. 그의 새로운 길 찾기가 어느 지점에서 시와 다시 행복하게 만날 수 있기를 빌어 보지만 기약할 수 없는 일이다. 단지 그의 건승을 빌 뿐이다.